TeacherTools

CHAPITRE 6

GLENCOE FRENCH 3

Bon voyage!

Conrad J. Schmitt
Katia Brillié Lutz

McGraw Hill **Glencoe**

New York, New York   Columbus, Ohio   Chicago, Illinois   Peoria, Illinois   Woodland Hills, California

 **Glencoe**

Send all inquiries to:
Glencoe/McGraw-Hill
8787 Orion Place
Columbus, OH 43240-4027

ISBN: 0-07-865688-5

Printed in the United States of America.

1 2 3 4 5 6 7 045 11 10 09 08 07 06 05 04

Contents

INTRODUCTION

Following is a list of the resources included in this booklet.

Workbook

Workbook activities provide additional written practice for each chapter. The activities appear in the order in which the material is presented in the Student Edition and are labeled *Easy, Average,* and *Challenging* to help you identify the level of difficulty of the material.

Audio Activities

These activities are recorded by native speakers from various areas of the French-speaking world to enable students to hear and comprehend different accents. To give students additional practice to improve their listening and speaking skills, the majority of the activities are unique to the Audio section. Some material is picked up from the Student Edition and referenced by a headphone icon in the Student Edition. Some of these activities have been adapted for the audio program and may vary slightly from the textbook version.

Quizzes with Answer Key

Short quizzes assess students after each individual section of vocabulary, reading/conversation, and structure point. They are intentionally short to check students' acquisition of the immediate material presented. The Answer Key follows the last quiz of the chapter. You may create additional quizzes using ExamView® Pro.

Tests

There are five types of tests presented for each chapter: Reading and Writing Lesson Test, Reading and Writing Chapter Test, Listening Comprehension Test, Speaking Test, and Proficiency Test. There are three Reading and Writing Lesson Tests (one for each lesson) and there are two Reading and Writing Chapter Tests, which are leveled by difficulty. "Form A" is designed with a difficulty level of *Easy to Average.* "Form B" is designed with a difficulty level of *Average to Challenging.* Depending on the ability level of your students, you may choose to give them one test or the other.

For ease of scoring, the total number of test questions is clearly marked at the top of each test. Each test section is labeled as to the lesson from which that material appears in the Student Edition. The Answer Key follows each individual Reading and Writing Test. The ExamView® Pro is also available if you wish to prepare additional tests.

CHAPITRE

6

Passages
de la vie

Nom _____ Date _____

Leçon 1: Culture

Vocabulaire pour la lecture

1 **Quel est le mot?** Identifiez. (*Easy*)

1. _____ une alliance _____

2. _____ le baptême _____

3. _____ la mariée _____

4. _____ le marié _____

5. la demoiselle d'honneur

2 **Une action** Donnez un mot apparenté. (*Easy*)

1. baptiser _____ le baptême _____
2. naître _____ la naissance _____
3. témoigner _____ le témoin _____
4. allier _____ alliance _____
5. enterrer _____ l'enterrement _____
6. une prière _____ prier _____
7. marier _____ le mariage _____

Nom _____ Date _____

3 **Passages de la vie** Complétez. (*Average*)

1. Les parents envoient un _____ faire-part _____ pour annoncer la naissance de leur bébé.

2. Le _____ parrain _____ et la _____ marraine _____ assistent au baptême du bébé.

3. Pendant la cérémonie les nouveaux mariés échangent des _____ alliances _____.

4. Le _____ garçon d'honneur _____ et la _____ demoiselle d'honneur _____ accompagnent le marié et la mariée à l'autel.

5. Pendant l'enterrement le prêtre parle du _____ défunt _____.

6. La mort d'une personne, c'est le _____ décès _____.

7. Une famille qui n'a qu'un parent est une famille _____ monoparentale _____.

Lecture

4 **Une naissance et les enfants** Complétez l'idée. (*Average*)

1. Quelques mois après la naissance du bébé les familles catholiques _____ font baptiser le bébé _____.

2. La marraine et le parrain sont _____ des proches de la famille ou des amis _____.

3. Pendant le baptême le prêtre _____ verse un peu d'eau sur le front du bébé _____.

4. Chez les protestants le baptême n'est pas _____ obligatoire _____.

5. La cérémonie de la circoncision _____ marque l'entrée d'un garçon juif ou musulman dans la communauté religieuse _____.

6. La profession de foi d'un enfant catholique a lieu à l'âge de _____ douze ans _____.

7. Le jeune protestant fait sa confirmation quand il a _____ seize ou dix-sept ans _____.

8. Les juifs célèbrent la bar-mitzva ou la bat-mitzva par une cérémonie à la _____ synagogue _____.

9. Le jeune musulman jeûne pendant le Ramadan pour la première fois à l'âge de _____ douze ans _____.

Nom _____ Date _____

5 **Le mariage** Répondez. *(Average)*

1. Qu'est-ce qui est obligatoire en France?

    Le mariage civil.

2. Ce mariage a lieu où?

    À la mairie.

3. Chez les protestants, le mariage a lieu où?

    Au temple.

4. Et chez les juifs?

    À la synagogue.

5. Quand les époux musulmans se voient-ils?

    À la fin des cérémonies de mariage.

6. À quoi est consacrée la plus grande partie de la journée de la célébration?

    À la préparation de la mariée.

6 **À la française** Décrivez un mariage typique en France. *(Challenging)*

Answers will vary.

_____

_____

_____

_____

_____

_____

7 **La famille et le décès** Vrai ou faux? *(Average)*

1. __Vrai.__ L'âge légal du mariage en France est le même pour les garçons et les filles.

2. __Faux.__ Actuellement les Français se marient de plus en plus jeunes.

3. __Vrai.__ Le nombre de divorces en France est en hausse.

4. __Vrai.__ La famille recomposée est une famille qui a un beau-père ou une belle-mère et les enfants de ceux-ci.

5. __Faux.__ Le cercueil transporte le corbillard.

6. __Vrai.__ Après la messe on se dirige vers le cimetière pour l'enterrement.

7. __Faux.__ Les parents et les amis d'un défunt juif se réunissent au cimetière pour la shiva.

8. __Vrai.__ Il n'y a que les hommes qui participent à l'enterrement d'un musulman.

Structure-Révision

Le partitif

8 **Achats** Complétez. *(Average)*

1. À la charcuterie on achète __du jambon, du saucisson__ .

2. À la boucherie on achète __de la viande__ .

3. À la crémerie on achète __de la crème, du lait, des œufs, du beurre__ .

4. À la boulangerie-pâtisserie on achète __du pain, des gâteaux__ .

5. À la poissonnerie on achète __du poisson, des crevettes__ .

6. À l'épicerie on achète __de l'eau minérale, du sel, du poivre__ .

9 **On n'en achète pas.** Complétez. *(Average)*

1. À la charcuterie on n'achète pas *Answers will vary.* _____.

2. À la boucherie on n'achète pas _____.

3. À la crémerie on n'achète pas _____.

4. À la boulangerie-pâtisserie on n'achète pas _____.

5. À la poissonnerie on n'achète pas _____.

6. À l'épicerie on n'achète pas _____.

10 **On mange bien.** Complétez. *(Average)*

—Tu aimes __le__ jambon?

—Oui, mais je ne vais pas manger __de__ jambon aujourd'hui. Je vais manger

__du__ poisson. Et toi, tu vas manger __du__ poulet comme d'habitude?

—Oui, et __des__ frites aussi. J'adore __les__ frites.

—Tu veux __du__ pain et __du__ beurre?

—__Du__ pain, oui, mais pas __de__ beurre, merci.

—On va prendre __des__ fruits et __du__ fromage?

—Absolument! J'adore __les__ fromages français.

Le pronom **en**

11 **Souvenirs d'un bon voyage** Remplacez les mots en italique par un pronom. *(Average)*

1. L'avion vient *de Munich.*

   L'avion en vient. _____

2. Voilà Catherine. Elle sort *de la douane.*

   Voilà Catherine. Elle en sort. _____

3. Elle a *des souvenirs.*

   Elle en a. _____

4. Mais elle a très peu *d'argent.*

   Mais elle en a très peu. _____

5. Elle a beaucoup *de valises.*

   Elle en a beaucoup.

6. Elle a quatre *valises.*

   Elle en a quatre.

7. Elle sort les souvenirs *de ses valises.*

   Elle en sort les souvenirs.

8. Elle donne *des souvenirs* à ses amis.

   Elle en donne à ses amis.

9. Elle parle *de son voyage.*

   Elle en parle.

10. Elle parle aussi *de ses amis en Allemagne.*

    Elle parle d'eux aussi.

12 **Personnellement** Répondez en utilisant des pronoms. *(Average)*

1. Avez-vous des cousins?

   Oui, j'en ai. / Non, je n'en ai pas.

2. Combien de cousins avez-vous?

   J'en ai ____.

3. Quand vous parlez à vos cousins, parlez-vous de vos activités quotidiennes?

   Oui, j'en parle. / Non, je n'en parle pas.

4. Vos cousins parlent-ils de leurs parents?

   Oui, ils parlent d'eux. / Non, ils ne parlent pas d'eux.

CHAPITRE 6

Nom _____ Date _____

Leçon 2: Conversation

Vocabulaire pour la conversation

1 **Quel est le mot?** Complétez. *(Average)*

1. Dans une église les bancs sont arrangés en _____**rangs**_____.

2. Tout le monde _____**félicite**_____ les nouveaux mariés.

3. Les nouveaux mariés _____**remercient**_____ leurs amis pour les cadeaux qu'ils ont reçus.

Conversation

2 **Un mariage** Décrivez les conseils que Julie a donnés à Robert pour qu'il ne commette pas de faux pas au mariage de son ami français. *(Challenging)*

_____**Answers will vary.**_____

_____

_____

_____

_____

_____

_____

_____

_____

_____

_____

3 **Un enterrement** Expliquez ce que ça veut dire. *(Average)*

1. La cérémonie aura lieu dans la plus stricte intimité.

   _____**Seuls la famille et les plus proches amis vont y assister.**_____

   _____

2. Ni fleurs ni couronnes.

   _____**On ne doit pas envoyer de fleurs.**_____

   _____

Structure-Révision

Les pronoms relatifs **qui** et **que**

4 **Le Sherlock Holmes français** Complétez avec **qui** ou **que**. (*Average*)

1. Le roman policier _____**que**_____ nous lisons en classe est très intéressant.

2. L'auteur _____**qui**_____ l'a écrit, Georges Simenon, est belge.

3. Tous les romans _____**qu'**_____ il a écrits sont devenus des best-sellers.

4. C'est Simenon _____**qui**_____ a créé le personnage de l'inspecteur Maigret.

5. Maigret, _____**qu'**_____ on appelle le Sherlock Holmes français, est commissaire de la police judiciaire.

6. On le reconnaît toujours à la pipe _____**qu'**_____ il fume.

7. Les deux hommes _____**qui**_____ aident Maigret sont l'inspecteur Janvier et le brigadier Lucas.

8. La méthode _____**qu'**_____ il emploie est spéciale.

5 **Un restaurant normand** Faites une seule phrase des deux. (*Average*)

1. C'est Nadine. Elle va au restaurant.

   C'est Nadine qui va au restaurant.

2. Elle choisit le restaurant. Le restaurant n'est pas cher.

   Elle choisit un restaurant qui n'est pas cher.

3. Le patron fait la cuisine. Il est normand.

   Le patron qui fait la cuisine est normand.

4. Les repas sont délicieux. Le patron et la patronne préparent les repas.

   Les repas que le patron et la patronne préparent sont délicieux.

5. La patronne sert des fromages. Tous les fromages sont normands.

   La patronne sert des fromages qui sont normands.

6 **On verra!** Complétez avec **ce qui** ou **ce que**. (*Average*)

—Qu'est-ce que tu as dit?

—Tu n'as pas entendu _____**ce que**_____ j'ai dit?

1

—Non, je n'ai pas entendu _____**ce que**_____ tu as dit.

2

—Tu ne comprends rien de _____**ce qui**_____ se passe?

3

—Absolument rien. Dis-moi _____**ce qui**_____ est arrivé.

4

—Si tu ne sais pas _____**ce qui**_____ est arrivé, tu ne vas pas comprendre

5

_____**ce qui**_____ va se passer.

6

—Dis-moi, je t'en prie. Dis-moi exactement _____**ce qui**_____ va se passer.

7

—Sois patient! Attends et tu verras!

Le pronom relatif **dont**

7 **Un livre passionnant** Complétez avec un pronom. (*Average*)

1. C'est le livre _____**dont**_____ il m'a parlé.

2. C'est le livre _____**dont**_____ j'ai besoin.

3. C'est le livre _____**dont**_____ Robert a lu les cent premières pages.

4. C'est le livre _____**dont**_____ le premier chapitre est fabuleux.

5. C'est le livre _____**dont**_____ l'auteur vient d'écrire un article pour
   le Nouvel Observateur.

6. C'est la revue _____**dont**_____ nous avons parlé hier.

8 **Sa mère est prof.** Complétez. (*Average*)

1. La mère de cette jeune fille est professeur de sciences politiques. La jeune fille

   _____**dont**_____ la mère est professeur de sciences politiques s'appelle

   Catherine.

2. Le fils du professeur est notre ambassadeur au Mexique. Le professeur

   _____**dont**_____ le fils est ambassadeur enseigne l'espagnol. C'est le professeur

   _____**dont**_____ je t'ai parlé.

Nom _____ Date _____

Leçon 3: Journalisme

Vocabulaire pour la lecture

Les enfants sont rois

1 **Les Papillons** Vrai ou faux? *(Easy)*

1. **Faux.** Un papillon est un très joli oiseau.

2. **Vrai.** Une crèche est une garderie d'enfants où les parents laissent leurs enfants pendant qu'ils sont au travail.

3. **Faux.** Un préjugé, c'est un fait objectif.

4. **Vrai.** Les petits enfants appellent souvent leur grand-mère «mamie».

5. **Faux.** Il est tellement triste qu'il est ravi.

6. **Faux.** Une complicité entre deux personnes indique que l'une ne sait pas ce que l'autre fera.

7. **Faux.** L'aîné de la famille c'est celui qui est le plus jeune.

Lecture

2 **Une maison de retraite** Expliquez pourquoi cette maison de retraite à Bordeaux est très intéressante. *(Challenging)*

Answers will vary.

_____

_____

_____

_____

_____

_____

_____

_____

_____

Vocabulaire pour la lecture

Le carnet du jour

3 **Quel est le mot?** Complétez. *(Average)*

1. Le jeune couple s'est fiancé. Ils ont annoncé leurs _____ fiançailles _____ .

2. En parlant de la mort de quelqu'un, on doit dire le _____ décès _____ ou

   la _____ disparition _____ et pas la mort.

3. Et en parlant de l'enterrement ou de la mise en terre on doit dire les

   _____ obsèques _____ ou l' _____ inhumation _____ .

Lecture

4 **Faire-part** Écrivez deux faire-part. *(Challenging)*

1. pour un mariage

   ___*Answers will vary.*_____

   _____

   _____

   _____

   _____

   _____

2. pour un décès

   _____

   _____

   _____

   _____

   _____

   _____

   _____

Structure avancée

Le plus-que-parfait

5 **Qu'est-ce que tu avais fait?** Répondez. *(Average)*

1. Avais-tu déjà appris le latin quand tu as commencé à étudier le français?

   Oui, j'avais déjà appris (Non, je n'avais pas encore appris)

   le latin quand j'ai commencé à étudier le français.

   _____

   _____

2. Tu avais déjà suivi un cours d'algèbre quand tu t'es inscrit(e) à un cours de géométrie?

   Oui, j'avais déjà suivi (Non, je n'avais pas encore suivi) un cours

   d'algèbre quand je me suis inscrit(e) à un cours de géométrie.

   _____

   _____

3. Tu étais déjà allé(e) en Californie quand tu es allé(e) à Los Angeles?

   Oui, j'étais déjà allé(e) (Non, je n'étais jamais allé[e]) en Californie

   quand je suis allé(e) à Los Angeles.

   _____

   _____

6 **Personnellement** Répondez. *(Challenging)*

Ce matin ton frère s'est levé à neuf heures mais toi, tu t'es levé(e) à sept heures. Qu'est-ce que tu avais déjà fait quand ton frère s'est levé?

Answers will vary. _____

_____

_____

_____

_____

_____

_____

Le conditionnel passé

7 **Personnellement** Citez cinq choses que vous auriez faites mais que vous n'avez pas faites parce que vos parents vous ont défendu de les faire. *(Challenging)*

1. _**Answers will vary.**_____

2. _____

3. _____

4. _____

5. _____

8 **Je ne l'ai pas fait parce que...** Complétez comme vous le voulez mais utilisez un conditionnel passé. *(Average)*

1. Je (J') _____**Answers will vary.**_____ mais je ne l'ai pas fait parce qu'il a commencé à pleuvoir.

2. Mes amis _____ en France mais ils n'y sont pas allés car ils n'avaient pas assez d'argent.

3. Je sais que tu _____ mais tu ne l'as pas fait parce que tu as eu peur.

4. Nous _____ mais nous ne l'avons pas fait parce que nous n'avons pas eu assez de temps.

5. Je (J') _____ mais je ne l'ai pas fait parce que je sais que mes parents auraient été furieux.

Propositions avec si

9 **Si j'avais le temps...** Complétez. *(Challenging)*

1. J'aurai une bonne note en français si je (j') __*Answers will vary.*__

   _____ .

   J'aurais eu une bonne note en français si _____

   _____ .

   J'aurais une bonne note en français si _____

   _____ .

2. Nous ferons le voyage si _____

   _____ .

   Nous ferions le voyage si _____

   _____ .

   Nous aurions fait le voyage si _____

   _____ .

3. Je sortirai avec lui / elle si _____

   _____ .

   Je sortirais avec lui / elle si _____

   _____ .

   Je serais sorti(e) avec lui / elle si _____

   _____ .

10 **Conditions** Complétez comme vous le voulez. *(Challenging)*

1. Si je (j') __*Answers will vary.*__ assez d'argent, je (j') _____

   _____ .

2. Si je (j') _____ riche, je (j') _____

   _____ .

3. S'il _____ beau demain, nous _____

   _____ .

4. Si nous _____ de la chance, nous _____

   _____ .

5. Si je (j') _____ en France, je (j')_____

   _____ .

Passages de la vie

Leçon 1: Culture

Vocabulaire pour la lecture

Activité 1 Écoutez et répétez.

(Textbook, pages 277–278)
(CD 6, Track 1)
(Workbook and Audio Activities, page A29)

la naissance
Le bébé naît.
le faire-part

la marraine
le parrain
Le prêtre baptise le bébé.

la bar-mitzva
le rabbin
Un garçon fête sa bar-mitzva,
une fille fête sa bat-mitzva.

les témoins
la mairie
le marié
la mariée
un mariage civil

le garçon d'honneur
la demoiselle d'honneur
un mariage religieux

le parvis de l'église
On jette du riz sur les nouveaux mariés.

une alliance
La voiture est décorée de fleurs
et de rubans.

une pièce montée
une dragée
Les dragées sont des amandes
enrobées de sucre.

un cercueil
un corbillard

Le prêtre parle du défunt.
Il parle de lui.
Il parle aussi de sa vie.
Il en parle.

le décès
un enterrement
prier
en hausse
monoparental(e)

Activité 2   Écoutez et choisissez.

(CD 6, Track 2)
(Workbook and Audio Activities, page A29)

Quel est le mot qui correspond à la définition que vous entendez?

1. le moment où un bébé naît
2. une personne qui baptise
3. le chef spirituel d'une communauté juive
4. un mariage à la mairie
5. une annonce
6. une bague qu'on porte quand on est marié
7. la mort d'une personne
8. en augmentation
9. une famille d'un seul parent
10. la mise en terre

__9__	une famille monoparentale		__1__	la naissance
__6__	une alliance		__8__	en hausse
__7__	le décès		__2__	un prêtre
__4__	un mariage civil		__5__	un faire-part
__10__	l'enterrement		__3__	un rabbin

Lecture

Activité 3   Écoutez et choisissez.

(Textbook, page 282)
(CD 6, Track 3)
(Workbook and Audio Activities, page A29)

Vrai ou faux? Cochez la case correspondante.

1. Le mariage civil est obligatoire en France.
2. Le mariage civil a lieu à l'église en présence des témoins choisis par les parents des mariés.
3. Pendant la cérémonie religieuse à l'église la mariée entre seule et tous ses invités la suivent.
4. On jette du riz sur le couple pour qu'ils aient beaucoup d'enfants.
5. Les nouveaux mariés montent dans une pièce montée pour aller à la réception.
6. Une liste de mariage indique qui va se marier et quand.
7. En général les protestants se marient à leur domicile.
8. Les nouveaux époux juifs se placent sous la houpa pendant que le rabbin prononce les bénédictions nuptiales.
9. Très peu de festivités accompagnent un mariage musulman.

	1.	2.	3.	4.	5.	6.	7.	8.	9.
vrai	✔							✔	
faux		✔	✔	✔	✔	✔	✔		✔

Structure–Révision

Le partitif

Activité 4 Écoutez et répondez.

(Textbook, page 286)
(CD 6, Track 4)
(Workbook and Audio Activities, page A29)

Répondez selon le modèle.

Modèle: —Il n'y aura pas de hors-d'œuvre?
 —Si. Il y aura des hors-d'œuvre, mais je n'aime pas les hors-d'œuvre.

Allons-y!

1. Il n'y aura pas de salade?
 (Si. Il y aura de la salade, mais je n'aime pas la salade.)
2. Il n'y aura pas de soupe?
 (Si. Il y aura de la soupe, mais je n'aime pas la soupe.)
3. Il n'y aura pas de poisson?
 (Si. Il y aura du poisson, mais je n'aime pas le poisson.)
4. Il n'y aura pas de bœuf?
 (Si. Il y aura du bœuf, mais je n'aime pas le bœuf.)
5. Il n'y aura pas de légumes?
 (Si. Il y aura des légumes, mais je n'aime pas les légumes.)
6. Il n'y aura pas de fromage?
 (Si. Il y aura du fromage, mais je n'aime pas le fromage.)
7. Il n'y aura pas de fruits?
 (Si. Il y aura des fruits, mais je n'aime pas les fruits.)
8. Il n'y aura pas de crème caramel?
 (Si. Il y aura de la crème caramel, mais je n'aime pas la crème caramel.)

Activité 5   Écoutez et répondez.

(Textbook, page 288)
(CD 6, Track 5)
(Workbook and Audio Activities, page A29)

Répondez selon le modèle.

Modèle: —Elle ne parle jamais de son mari.
—Elle ne parle jamais de lui?

Allons-y!

1. Elle ne parle jamais de son travail.
   (Elle n'en parle jamais?)
2. Elle n'est pas fière de son travail.
   (Elle n'en est pas fière?)
3. Elle a besoin de son travail.
   (Elle en a besoin?)
4. Il parle de ses difficultés.
   (Il en parle?)
5. Il a peur des conséquences de son acte.
   (Il en a peur?)

Activité 6   Écoutez et répondez.

(Textbook, page 289)
(CD 6, Track 6)
(Workbook and Audio Activities, page A29)

Répondez selon le modèle. Attention, utilisez un pronom personnel ou **en**.

Modèle: —Il parle souvent de ses petits-enfants?
—Oui, il parle souvent d'eux.
Ou alors...
—Il parle souvent de sa famille?
—Oui, il en parle souvent.

Allons-y!

1. Il parle quelquefois de son fils?
   (Oui, il parle quelquefois de lui.)
2. Il a besoin de son aide?
   (Oui, il en a besoin.)
3. Elle est fière de son fils?
   (Oui, elle est fière de lui.)
4. Elle est fière de sa fille?
   (Oui, elle est fière d'elle.)
5. Elle est fière de ses enfants?
   (Oui, elle est fière d'eux.)
6. Elle est contente de leur succès?
   (Oui, elle en est contente.)

Leçon 2: Conversation

Vocabulaire pour la conversation

Activité 1 Écoutez et répétez.

(Textbook, page 294)
(CD 6, Track 7)
(Workbook and Audio Activities, page A30)

un banc
un rang
—C'est la femme dont j'ai fait la connaissance hier, non?
—Oui, la femme qui vient d'entrer est la mère du marié. La robe qu'elle porte, je la trouve très belle.

une couronne de fleurs

féliciter
livrer
remercier

Activité 2 Écoutez et choisissez.

(CD 6, Track 8)
(Workbook and Audio Activities, page A30)

Vrai ou faux? Cochez la case correspondante.

1. Il n'y a pas de bancs dans une église.
2. Il y a quelquefois des couronnes de fleurs sur l'autel.
3. On félicite quelqu'un qui a eu beaucoup de succès.
4. La plupart des fleuristes livrent leurs fleurs.
5. On remercie quelqu'un qui a fait quelque chose pour vous.
6. Quand on est au premier rang, on ne voit pas ce qui se passe.

	1.	2.	3.	4.	5.	6.
vrai		✔	✔	✔	✔	
faux	✔					✔

Conversation

Activité 3 Écoutez.

(Textbook, page 295)
(CD 6, Track 9)
(Workbook and Audio Activities, page A30)

Robert est un Américain qui passe du temps en France. Il pose quelques questions à son amie française Julie. Écoutez.

Un mariage

Robert	Mon ami Patrick va se marier et il m'a invité à son mariage. C'est très gentil de sa part mais c'est la première fois que je vais à un mariage en France. Franchement je ne sais pas exactement ce que je dois faire.
Julie	Il aura lieu à l'église aussi, le mariage?
Robert	Oui.
Julie	Il y aura bien sûr d'autres invités quand tu arriveras à l'église. Regarde ce qu'ils font et fais la même chose. Entre dans l'église en même temps qu'eux.
Robert	Il ne faut pas attendre qu'un garçon d'honneur me conduise à ma place?
Julie	Non, non. Comme je t'ai dit, entre tout simplement avec les autres. Mais ne t'assieds pas dans les premiers rangs. Ils sont réservés aux membres de la proche famille. Tu es invité à la réception?
Robert	Oui.
Julie	Tu vas bien t'amuser. N'oublie pas de féliciter les nouveaux mariés et de remercier tes hôtesses—les mères du marié et de la mariée.

Activité 4 Écoutez et choisissez.

(Textbook, page 297)
(CD 6, Track 10)
(Workbook and Audio Activities, page A30)

Vous allez entendre plusieurs questions sur la conversation. Choisissez *a*, *b* ou *c* comme réponse. Vous pouvez, bien sûr, réécouter la conversation autant de fois que vous le voulez.

Allons-y!

1. Qui va se marier?
   a. Patrick, un ami de Robert.
   b. Robert.
   c. Julie.

2. Qui a été invité au mariage?
   a. Patrick, un ami de Robert.
   b. Robert.
   c. Julie.

3. Le mariage aura lieu où?
   a. À la mairie seulement.
   b. À l'église seulement.
   c. À la mairie et à l'église.

4. Qui explique à Robert ce qu'il doit faire?
   a. Son ami Patrick.
   b. Son amie Julie.
   c. Les autres invités.

5. Qu'est-ce qu'elle lui conseille de faire?
   a. De regarder ce que les autres font et de faire la même chose.
   b. De s'asseoir dans les premiers rangs.
   c. D'attendre qu'on le conduise à sa place.

6. Il doit attendre qu'un garçon d'honneur le conduise à sa place dans l'église?
   a. Oui.
   b. Non.
   c. Oui, si les autres sont déjà entrés.

7. Les premiers rangs sont réservés à qui?
   a. Aux nouveaux mariés.
   b. Aux membres de la proche famille.
   c. Au garçon et à la demoiselle d'honneur.

8. Que doit faire Robert à la réception?
   a. Féliciter les hôtesses.
   b. Remercier les mariés.
   c. Féliciter les nouveaux mariés et remercier les hôtesses.

1. ⓐ b c
2. a ⓑ c
3. a b ⓒ
4. a ⓑ c
5. ⓐ b c
6. a ⓑ c
7. a ⓑ c
8. a b ⓒ

Activité 5 Écoutez.

(Textbook, page 296)
(CD 6, Track 11)
(Workbook and Audio Activities, page A30)

Érica est une jeune Américaine qui passe du temps en France. Elle pose quelques questions à son amie française Sandrine. Écoutez.

Un enterrement

Erica	Je viens de lire dans le journal l'annonce de la mort du père de mon amie, Camille.
Sandrine	Tu avais fait la connaissance de son père? Tu le connaissais?
Erica	Oui. Et j'aimerais assister à son enterrement mais je ne sais pas si ça se fait?
Sandrine	Oui, à moins que l'annonce n'indique que la cérémonie aura lieu dans la plus stricte intimité.
Erica	Non. Ça ne dit pas ça. Je peux envoyer des fleurs?
Sandrine	Oui, si tu veux. C'est toujours un geste apprécié sauf si ça dit «ni fleurs ni couronnes». Mais, tu dois les faire livrer chez le défunt au moins une heure avant la cérémonie. Sinon, tu peux les faire livrer directement à l'église avec ta carte de visite.

Activité 6 Écoutez et choisissez.

(Textbook, page 297)
(CD 6, Track 12)
(Workbook and Audio Activities, page A30)

Vrai ou faux? Cochez la case correspondante.

1. On peut mettre l'annonce de la mort de quelqu'un dans le journal.
2. On peut assister à l'enterrement d'un ami en France même si on n'a pas reçu de faire-part.
3. «La cérémonie aura lieu dans la plus stricte intimité» indique que la famille veut bien recevoir tous les amis.
4. On n'envoie jamais de fleurs en France à l'occasion d'un enterrement.
5. On peut faire livrer des fleurs soit au domicile de la famille du défunt soit directement à l'église.

	1.	2.	3.	4.	5.
vrai	✔	✔			✔
faux			✔	✔	

Structure-Révision

Les pronoms relatifs **qui** et **que**

Activité 7 Écoutez et écrivez.
(CD 6, Track 13)
(Workbook and Audio Activities, page A30)

Écrivez *qui* ou *que, ce qui* ou *ce que* selon ce que vous entendez.

1. Dites-moi ce qui s'est passé.
2. L'alliance que vous lui avez achetée est très belle.
3. L'homme que nous avons rencontré est le mari de ma sœur.
4. Nous avons mangé dans le restaurant que vous nous aviez recommandé.
5. C'est un restaurant qui est excellent.
6. Je n'ai pas compris ce que vous avez dit.
7. Nos amis ont une très belle villa qui donne sur la mer.
8. La fille qui est en train de parler est très intéressante.

1. ___ce qui___   5. ___qui___
2. ___que___   6. ___ce que___
3. ___que___   7. ___qui___
4. ___que___   8. ___qui___

Activité 8 Écoutez et répondez.
(CD 6, Track 14)
(Workbook and Audio Activities, page A30)

Continuez l'idée selon le modèle.

Modèle: Il parle d'une femme. Elle est son amie.
　　　　 La femme dont il parle est son amie.

Allons-y!

1. Elle parle d'une cérémonie. Elle parle de l'enterrement de son oncle.
   (La cérémonie dont elle parle est l'enterrement de son oncle.)
2. Le professeur est très fier d'une élève. L'élève est très bonne en maths.
   (L'élève dont le professeur est fier est très bonne en maths.)
3. Ils ont peur d'un homme. Ils ont peur d'un bandit.
   (L'homme dont ils ont peur est un bandit.)
4. Elle s'occupe d'un petit garçon. Le petit garçon est amusant.
   (Le petit garçon dont elle s'occupe est amusant.)

CHAPITRE 6

Leçon 3: Journalisme

Vocabulaire pour la lecture

Les enfants sont rois

Activité 1   Écoutez et répétez.

(Textbook, page 306)
(CD 6, Track 15)
(Workbook and Audio Activities, page A31)

une salle de jeux
une crèche
Le petit enfant dessine un papillon.
Les pensionnaires s'étaient déjà installés dans le salon quand les enfants sont arrivés.
Les pensionnaires auraient regardé la télévision si les enfants n'étaient pas arrivés.

un papillon
une complicité
mamie
un préjugé
aîné(e)
ému(e)
ravi(e)
se mettre à

Activité 2   Écoutez et choisissez.

(CD 6, Track 16)
(Workbook and Audio Activities, page A31)

Quel est le mot qui correspond à la définition que vous entendez?

1. un très bel insecte
2. qui manifeste de l'émotion
3. une petite école avant la vraie école
4. le plus âgé
5. très contente
6. une idée préconçue
7. une grand-mère
8. une entente, une aide mutuelle

__5__ ravie		__3__ une crèche	
__6__ un préjugé		__2__ émue	
__8__ une complicité		__7__ une mamie	
__4__ l'aîné		__1__ un papillon	

Lecture

Activité 3 Écoutez et choisissez.

(CD 6, Track 17)

(Workbook and Audio Activities, page A31)

Quelle est la phrase qui explique le mieux celle que vous voyez sur votre feuille de réponses? Choisissez *a, b* ou *c.*

1. C'est une halte-garderie où les enfants cohabitent avec les pensionnaires d'une maison de retraite située au-dessus.
   a. La garderie et la maison de retraite sont dans le même bâtiment.
   b. Elles sont dans deux bâtiments différents.
   c. Elles sont au même étage.

2. Les enfants ne sont pas étonnés: partager les repas avec leurs aînées fait partie de l'ordre des choses.
   a. Les enfants mangent bien tout ce qu'on leur donne.
   b. Ils trouvent normal de manger avec les pensionnaires.
   c. Ils sont très sages.

3. Chaque enfant se retrouve à côté d'une mamie et, ensemble, ils réalisent un travail manuel.
   a. Les enfants sont d'un côté, les pensionnaires de l'autre.
   b. Les pensionnaires ne peuvent pas travailler.
   c. Enfants et pensionnaires ont des activités communes.

4. Quand les enfants arrivent, le petit écran, fidèle compagnon, est immédiatement délaissé et on se met à parler.
   a. Quand les enfants arrivent, ils parlent beaucoup.
   b. Quand les enfants arrivent, les pensionnaires ne regardent plus la télévision.
   c. Quand les enfants arrivent, les pensionnaires ne peuvent pas parler.

1. **C'est une halte-garderie où les enfants cohabitent avec les pensionnaires d'une maison de retraite située au-dessus.**
   (a)   b   c

2. **Les enfants ne sont pas étonnés: partager les repas avec leurs aînées fait partie de l'ordre des choses.**
   a   **(b)**   c

3. **Chaque enfant se retrouve à côté d'une mamie et, ensemble, ils réalisent un travail manuel.**
   a   b   **(c)**

4. **Quand les enfants arrivent, le petit écran, fidèle compagnon, est immédiatement délaissé et on se met à parler.**
   a   **(b)**   c

Vocabulaire pour la lecture

Le carnet du jour

Activité 4 Écoutez et répétez.
(Textbook, page 310)
(CD 6, Track 18)
(Workbook and Audio Activities, page A31)

les fiançailles
D'abord le jeune couple se fiance.
Ensuite ils se marient.

Quand on parle de la mort d'une personne, on évite de prononcer certains mots.
Par exemple:
On ne dit pas «la mort», on dit «le décès ou la disparition».
On ne dit pas «l'enterrement ou la mise en terre». On dit plutôt «les obsèques ou
l'inhumation».

Activité 5 Écoutez et choisissez.
(CD 6, Track 19)
(Workbook and Audio Activities, page A31)

Mettez le numéro de la phrase que vous entendez sous l'objet ou la personne dont ils
auront besoin. Attention! Il y a plus de dessins que de phrases.

1. Ils vont se fiancer le mois prochain.
2. Ils vont se marier la semaine prochaine.
3. Leur bébé va naître en décembre.
4. Ils vont le faire baptiser en janvier.
5. L' enterrement d'un ami de la famille aura lieu demain.

a. ___1___

b. ___2___

c. ___4___

d. ___5___

e. ___3___

f. _____

Audio Activities, Teacher Edition

Lecture

Activité 6 Écoutez et choisissez.
(CD 6, Track 20)
(Workbook and Audio Activities, page A32)

À quelle description correspond le terme que vous entendez?

1. les petits-enfants
2. les grands-parents
3. le fils
4. la fille
5. l'oncle
6. la tante
7. les cousins

__5__ le frère du père ou de la mère
__2__ les parents des parents
__7__ les enfants de l'oncle ou de la tante
__1__ les enfants des enfants

__3__ l'enfant mâle des parents
__4__ l'enfant femelle des parents
__6__ la sœur du père ou de la mère

Structure avancée

Le plus-que-parfait

Activité 7 Écoutez et répondez.
(CD 6, Track 21)
(Workbook and Audio Activities, page A32)

Répondez selon le modèle.

Modèle: —Elle s'est mariée.
         —Je ne savais pas qu'elle s'était mariée.

Allons-y!

1. Je me suis marié.
   (Je ne savais pas que tu t'étais marié.)
2. Nous avons déménagé.
   (Je ne savais pas que vous aviez déménagé.)
3. Elle est partie en vacances.
   (Je ne savais pas qu'elle était partie en vacances.)
4. Il est allé à Paris.
   (Je ne savais pas qu'il était allé à Paris.)
5. J'ai changé de société.
   (Je ne savais pas que tu avais changé de société.)
6. Il a été reçu.
   (Je ne savais pas qu'il avait été reçu.)

Activité 8 Écoutez et répondez.

(CD 6, Track 22)
(Workbook and Audio Activities, page A32)

Continuez l'idée selon le modèle.

Modèle: Tu n'es pas sortie?
         Moi, je serais sortie.

Allons-y!

1. Tu n'y es pas allé?
   (Moi, j'y serais allée)
2. Tu ne l'as pas acheté?
   (Moi, je l'aurais acheté.)
3. Tu ne l'as pas fait?
   (Moi, je l'aurais fait.)
4. Tu n'es pas montée?
   (Moi, je serais montée.)
5. Tu ne l'as pas dit?
   (Moi, je l'aurais dit.)
6. Tu ne l'as pas envoyée?
   (Moi, je l'aurais envoyée.)

Activité 9 Écoutez, lisez et répondez.

(CD 6, Track 23)
(Workbook and Audio Activities, page A32)

Écoutez et lisez les phrases imprimées sur votre feuille de réponses. Transformez ensuite ces phrases selon le modèle.

Modèle: Ils aimeraient partir en vacances pour se reposer.
S'ils partaient en vacances, ils se reposeraient.

Allons-y!

1. **J'aimerais avoir le temps d'aller au mariage de Jean.**
   (Si j'avais le temps, j'irais au mariage de Jean.)
2. **Elle aimerait avoir assez d'argent pour aller à Paris.**
   (Si elle avait assez d'argent, elle irait à Paris.)
3. **Il aimerait se reposer pour reprendre des forces.**
   (S'il se reposait, il reprendrait des forces.)
4. **Nous aimerions manger quelque chose pour nous sentir mieux.**
   (Si nous mangions quelque chose, nous nous sentirions mieux.)

Activité 10 Écoutez, lisez et répondez.

(CD 6, Track 24)

(Workbook and Audio Activities, page A32)

Maintenant, refaisons la même activité, mais un peu différemment. Encore une fois, écoutez et lisez les phrases imprimées sur votre feuille de réponses. Transformez ensuite ces phrases selon le modèle.

> **Modèle: Ils auraient aimé partir en vacances pour se reposer.**
> **S'ils étaient partis en vacances, ils se seraient reposés.**

Allons-y!

1. **J'aurais aimé avoir le temps d'aller au mariage de Jean.**
   (Si j'avais eu le temps, je serais allé au mariage de Jean.)
2. **Elle aurait aimé avoir assez d'argent pour aller à Paris.**
   (Si elle avait eu assez d'argent, elle serait allée à Paris.)
3. **Il aurait aimé se reposer pour reprendre des forces.**
   (S'il s'était reposé, il aurait repris des forces.)
4. **Nous aurions aimé manger quelque chose pour nous sentir mieux.**
   (Si nous avions mangé quelque chose, nous nous serions sentis mieux.)

Sono-Magazine

(CD 6, Track 25)

In this section, you'll hear authentic French material: either radio programs, songs, poems, or excerpts from plays.

For radio programs, we will ask you to engage in "selective listening." You will not be asked to understand everything, only a few key points.

For songs, poems, or excerpts from plays, you will see the text on your activity sheet so that you will be able to follow as you listen. After the selections, there will be a small activity. So relax and let yourself be guided into . . . French reality!

Activité 11   Écoutez.

(CD 6, Track 26)
(Workbook and Audio Activities, page A32)

Voici la dernière scène des *Misérables* dans la version française originale de la comédie musicale. Jean Valjean a enfin trouvé la paix et peut mourir. Sa fille Cosette et son mari Marius sont auprès de lui. Écoutez cette très belle chanson intitulée «*La Lumière*».

ÉPILOGUE: LA LUMIÈRE (Jean Valjean - Cosette)

JEAN VALJEAN   Je ne pars plus seul.
                Je suis heureux.
                J'ai revu ton sourire
                Juste avant de mourir.

COSETTE   Vous vivrez, mon père,
                Vous allez vivre.
                Moi, je veux que vous viviez,
                Entendez-vous?

JEAN VALJEAN   Oui, Cosette,
                Défends-moi de mourir.
                J'aimerais t'obéir.
                La lumière est dans le cœur des hommes,
                Et s'épuise de brûler pour personne.
                Aimez-vous pour vaincre les ténèbres
                Tant qu'il y aura partout
                Orgueil, ignorance et misère.

                La lumière, aux matins de justice,
                Puisse enfin décapiter nos vices
                Dans un monde où Dieu pourrait se plaire,
                S'il décidait un jour
                De redescendre sur la Terre.

                Cosette, aime-le.
                Marius, aimez-la.
                Qui aime sa femme
                Sans le savoir aime Dieu.

Activité 12 Écoutez et cochez.

(CD 6, Track 27)
(Workbook and Audio Activities, page A32)

Sur votre feuille de réponses, vous voyez une série de phrases. Cochez les phrases qui se rapportent à la chanson. Vous pouvez, bien sûr, réécouter cette chanson autant de fois que vous le voulez. Allez-y.

_____ **Cosette est seule avec Jean Valjean.**

___✔___ **Cosette et Marius sont auprès de Jean Valjean.**

_____ **Cosette et Jean Valjean vont partir en voyage.**

___✔___ **Jean Valjean va mourir.**

_____ **La lumière brûle le cœur des hommes.**

___✔___ **L'amour est la lumière.**

___✔___ **La lumière efface nos vices.**

_____ **Qui aime Dieu, aime sa femme.**

___✔___ **Qui aime sa femme, aime Dieu.**

Fin du Chapitre 6

Passages de la vie

CHAPITRE
6 Leçon 1: Quiz 1

Vocabulaire pour la lecture

1 Donnez le mot dont la définition suit.

1. la femme qui présente un enfant au baptême _____

2. le chef spirituel d'une communauté juive _____

3. une annonce _____

4. l'espace devant l'entrée d'une église _____

5. ce qu'on jette sur les nouveaux mariés _____

6. une personne qui a vu ou entendu un événement _____

7. des amandes enrobées de sucre _____

8. une grande voiture dans laquelle on transporte un cercueil _____

9. une personne qui est morte _____

10. la mort d'une personne _____

Leçon 1: Quiz 2

Lecture

1 Choisissez.

le baptême	la bar-mitzva	un mariage juif
la cérémonie de la circoncision	le Ramadan	un mariage musulman
la profession de foi	le mariage civil	un enterrement musulman

1. La cérémonie par laquelle le petit garçon juif ou musulman marque son entrée dans la communauté religieuse. _____

2. Le couple se place sous un houpa pendant que le rabbin prononce les bénédictions. _____

3. Le prêtre verse en peu d'eau sur le front de l'enfant. _____

4. Le mariage qui a lieu à la mairie. _____

5. Il n'y a que les hommes qui y assistent. _____

6. Un sacrement que reçoit un jeune catholique qui marque la fin de l'enfance et le passage au monde adulte. _____

7. Le couple ne se voit qu'à la fin des cérémonies. _____

8. La cérémonie juive qui marque le passage d'un jeune homme de l'enfance au monde adulte. _____

2 Répondez.

1. Décrivez une famille recomposée.

_____

_____

2. Décrivez une famille monoparentale.

_____

_____

Nom _____ Date _____

Leçon 1: Quiz 3

Structure-Révision

Le partitif

1 Complétez.

1–2. Moi, j'ai _____ patience mais mon frère n'a pas _____ patience.

3. Je mange _____ fruits tous les matins.

4. Ah, oui. Vous aimez beaucoup _____ fruits alors.

5–6. Je vais acheter _____ bœuf parce que je sais que mes invités aiment

_____ viande.

7–10. J'aime _____ riz mais je n'aime pas _____ amandes. Ainsi je

mange _____ riz mais je ne mange pas _____ amandes.

Leçon 1: Quiz 4

Structure-Révision

Le pronom en

1 Répondez avec le pronom qui convient.

1. Tu as acheté beaucoup de cadeaux?

_____

2. Tu crois que tu as assez d'argent?

_____

3. Tu veux des amandes?

_____

4. Il a besoin de notre aide?

_____

5. Elle est très fière de ses enfants, non?

_____

6. Elle a parlé de son mariage?

_____

7. Elle a parlé de son mari?

_____

8. Tu as combien de frères?

_____

9. Elle vient de Nîmes, non?

_____

10. Elle t'a donné de l'argent?

_____

Quizzes

CHAPITRE
6

Leçon 2: Quiz 5

Vocabulaire pour la conversation

1 Employez chaque mot dans une phrase.

1. un banc

_____

_____

2. une couronne de fleurs

_____

_____

3. féliciter

_____

_____

4. remercier

_____

_____

5. l'inhumation

_____

_____

Leçon 2: Quiz 6

Conversation

1 Vrai ou faux?

                                                                      Vrai   Faux

1. Beaucoup de mariages en France ont lieu à l'église. _____ _____

2. En France vous faites la queue à l'entrée de l'église en attendant qu'un garçon d'honneur vous conduise à votre place. _____ _____

3. Les premiers rangs de l'église sont réservés aux membres de la proche famille des mariés. _____ _____

4. Si le faire-part du décès de quelqu'un indique que la cérémonie aura lieu dans la plus stricte intimité, les amis du défunt peuvent assister à l'enterrement. _____ _____

5. En France on n'envoie jamais de fleurs. _____ _____

CHAPITRE

6

Leçon 2: Quiz 7

Structure-Révision

Les pronoms relatifs **qui** et **que**

1 Complétez avec **qui, que, ce qui** ou **ce que**.

1. Les filles _____ habitent dans cet immeuble sont mes amies.

2. Ce sont les amies _____ je préfère.

3. J'ai d'autres amies _____ sont sympa, mais les filles de l'immeuble sont plus amusantes.

4. Elles savent toujours _____ se passe dans le quartier.

5. Elles me disent toujours _____ elles ont découvert.

2 Combinez les deux phrases en une seule avec un pronom relatif.

1. Patricia est une fille. Elle chante bien.

   _____

2. Elle a écrit des chansons. Elle aime les chanter pour ses amis.

   _____

3. On a présenté Patricia à un producteur. Il lui a demandé de faire un disque.

   _____

4. J'ai entendu à la radio une belle chanson. Patricia chantait cette chanson.

   _____

5. Mes parents viennent de m'acheter l'album. Patricia a enregistré cet album.

   _____

Leçon 2: Quiz 8

Structure-Révision

Le pronom relatif **dont**

1 Combinez les deux phrases en une seule en utilisant **dont**.

1. Tu connais la femme. Son mari est joueur de foot.

   _____

2. J'adore deux ou trois auteurs. Les livres de ces auteurs sont comiques.

   _____

3. Sophie a rencontré une vedette. Elle a oublié le nom de cette vedette.

   _____

4. Mireille veut voir un film. Le titre de ce film l'intéresse.

   _____

5. C'est un prof très sympa. Nous admirons l'intelligence de ce prof.

   _____

2 Complétez avec **qui, que** ou **dont**.

Jacques est le garçon _____ je t'ai parlé hier. C'est lui _____
                              1   2

nous avons vu au match de tennis samedi. Il était avec sa cousine

_____ habite en banlieue. Cette fille, _____ je ne me rappelle
      3   4

plus le nom, a de très longs cheveux blonds. C'est elle _____ nous a
                                                               5

invités chez Jacques après le match.

Leçon 3: Quiz 9

Vocabulaire pour la lecture

Les enfants sont rois

1 Vrai ou faux?

	Vrai	Faux
1. Un préjugé est toujours vrai.	_____	_____
2. Beaucoup de papillons ont de jolis couleurs.	_____	_____
3. Une crèche est un jeu.	_____	_____
4. Beaucoup de petits enfants dont les parents travaillent passent la journée dans une crèche.	_____	_____
5. Il est tellement content, il est ravi.	_____	_____
6. Elle a beaucoup de crayons parce qu'elle adore dessiner.	_____	_____
7. Mon jeune frère, c'est l'aîné de la famille.	_____	_____
8. Une mamie peut être une vieille dame.	_____	_____
9. Il y a une grande complicité entre eux. Ils se mettent d'accord sur tout ce qu'ils font.	_____	_____
10. Il a été très ému de la générosité de ses amis.	_____	_____

Leçon 3: Quiz 10

Lecture

Les enfants sont rois

1 Répondez.

1. Qu'est-ce que «Les Papillons»?

_____

_____

_____

2. Que partagent les enfants et les pensionnaires?

_____

_____

_____

3. Que font les enfants et les pensionnaires ensemble?

_____

_____

_____

4. Qu'est-ce que les pensionnaires cessent de regarder quand les enfants arrivent?

_____

_____

_____

5. Que pensent les parents des enfants de ces échanges?

_____

_____

_____

Nom _____ Date _____

Leçon 3: Quiz 11

Vocabulaire pour la lecture

Le carnet du jour

1 Utilisez les mots suivants dans une phrase.

1. les fiançailles

_____

_____

2. l'inhumation

_____

_____

3. l'enterrement

_____

_____

4. le décès

_____

_____

5. le jeune couple

_____

_____

Leçon 3: Quiz 12

Structure avancée

Le plus-que-parfait

1 Complétez avec le plus-que-parfait.

1. Nous _____ les Lambert avant de
   connaître leurs enfants. (rencontrer)

2. J'_____ déjà

   _____ les courses quand ils sont arrivés.
   (faire)

3. Nous ne voulions pas croire que Jean-Claude

   _____ malade. (être)

4. Quand on est arrivé au cinéma, Marc et Anne

   _____ déjà

   _____. (partir)

5. Claire ne savait pas que son chien _____
   dans la forêt. (se perdre)

6. Elle croyait que quelqu'un _____ son
   chien pendant qu'elle était absente. (voler)

7. Quand les copains sont entrés dans la maison, le téléphone

   _____ déjà

   _____ dix fois. (sonner)

8. Savait-il que tu _____ être hospitalisé?
   (devoir)

9. Ils _____ de dîner quand leurs amis sont
   arrivés. (finir)

10. Mireille, je ne savais pas que vous _____.
    (se fiancer)

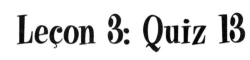

CHAPITRE 6
Leçon 3: Quiz 13

Structure avancée

Le conditionnel passé

1 Complétez au conditionnel passé.

1. Je l'_____ mais je n'ai pas eu le temps.
   (faire)

2. Elle y _____ mais elle n'a pas pu parce
   que ses amis sont arrivés. (aller)

3. Je te l'_____ mais je ne voulais pas
   t'inquiéter. (dire)

4. Ils me l'_____ mais ils n'ont pas pu me
   trouver. (donner)

5. Je l'_____ mais il m'a interrompu. (finir)

Leçon 3: Quiz 14

Structure avancée

Propositions avec **si**

1 Complétez.

1. Si nous avons le temps, nous _____ voir
   la Grande Arche. (aller)

2. Si vous _____ les billets aujourd'hui,
   nous pourrions y aller le mois prochain. (prendre)

3. Si tu arrives après dix heures, _____ à tes
   parents. (téléphoner)

4. S'il pouvait dépenser mille dollars, il

   _____ très loin. (partir)

5. Si j'avais vécu au dix-neuvième siècle,

   j'_____ écouter Chopin jouer du piano.
   (pouvoir)

6. S'il avait fait beau hier, ils _____ à la
   plage. (aller)

7. Si j'étais directeur de cette société, je

   _____ tout mon temps dans des réunions
   ennuyeuses. (passer)

8. Si Élisabeth n'était pas venue, qu'est-ce que vous

   _____? (faire)

9. Si tu veux voir une comédie, _____ voir
   ce film. (aller)

10. Si vous voulez que je lave ce jean, _____-
    le-moi vite. (donner)

Answer Key

CHAPITRE 6

Quiz 1

1

1. la marraine
2. le rabbin
3. un faire-part
4. le parvis
5. du riz
6. un témoin
7. des dragées
8. un corbillard
9. un défunt
10. le décès

Quiz 2

1

1. la cérémonie de la circoncision
2. un mariage juif
3. le baptême
4. le mariage civil
5. un enterrement musulman
6. la profession de foi
7. un mariage musulman
8. la bar-mitzva

2

1. Une nouvelle famille fondée par des divorcés.
2. Une famille d'un seul parent.

Quiz 3

1

1. de la
2. de
3. des
4. les
5. du
6. la
7. le
8. les
9. du
10. d'

Quiz 4

1

1. Oui, j'en ai acheté beaucoup.
2. Oui, je crois que j'en ai assez.
3. Oui, j'en veux.
4. Oui, il en a besoin.
5. Oui, elle est très fière d'eux.
6. Oui, elle en a parlé.
7. Oui, elle a parlé de lui.
8. J'en ai ____.
9. Oui, elle en vient.
10. Oui, elle m'en a donné.

Quiz 5

1 *Answers will vary.*

Quiz 6

1

1. Vrai.
2. Faux.
3. Vrai.
4. Faux.
5. Faux.

Quiz 7

1

1. qui
2. que
3. qui
4. ce qui
5. ce qu'

2

1. Patricia est une fille qui chante bien.
2. Elle a écrit des chansons qu'elle aime chanter pour ses amis.
3. On a présenté Patricia à un producteur qui lui a demandé de faire un disque.
4. J'ai entendu à la radio une belle chanson que Patricia chantait.
5. Mes parents viennent de m'acheter l'album que Patricia a enregistré.

Quiz 8

1

1. Tu connais la femme dont le mari est joueur de foot.
2. J'adore deux ou trois auteurs dont les livres sont comiques.
3. Sophie a rencontré une vedette dont elle a oublié le nom.
4. Mireille veut voir un film dont le titre l'intéresse.
5. C'est un prof très sympa dont nous admirons l'intelligence.

2

1. dont
2. que
3. qui
4. dont
5. qui

Quiz 9

1

1. Faux.
2. Vrai.
3. Faux.
4. Vrai.
5. Vrai.
6. Vrai.
7. Faux.
8. Vrai.
9. Vrai.
10. Vrai.

Quiz 10

1

1. Une crèche (une halte-garderie).
2. Ils partagent certains lieux: les terrasses et les salons de jeux pour les enfants.
3. Ils lisent des histoires, jouent au ballon, dessinent.
4. La télévision.
5. Les parents pensent que la crèche est comme une grande famille. Les échanges permettent la socialisation des enfants et des personnes âgées.

Quiz 11

1 *Answers will vary.*

Quiz 12

1

1. avions rencontré
2. avais fait
3. avait été
4. étaient partis
5. s'était perdu
6. avait volé
7. avait sonné
8. avais dû
9. avaient fini
10. vous étiez fiancée

Quiz 13

1

1. aurais fait(e)
2. serait allée
3. aurais dit
4. auraient donné(e)
5. aurais fini(e)

Quiz 14

1

1. irons
2. preniez
3. téléphone
4. partirait
5. aurais pu
6. seraient allés
7. passerais
8. auriez fait
9. va
10. donne

CHAPITRE

6

Passages de la vie

Introduction

The Tests for **Bon voyage!** Level 3 include the following components, each designed to measure a specific skill or combination of skills as well as knowledge about French and Francophone culture.

1. Lesson Achievement Tests
   - Reading and Writing Tests
2. Chapter Achievement Tests
   - Reading and Writing Tests
   - Listening Comprehension Test
3. Chapter Speaking Test
4. Chapter Proficiency Test
5. ExamView®Pro Test Generator (packaged separately)

The Reading and Writing Tests, Listening Comprehension Tests, Speaking Tests, and Proficiency Tests are all included in this TeacherTool booklet.

Achievement vs. Proficiency Tests

A foreign language achievement test evaluates the extent to which a student has mastered the material presented in a chapter, course, or program. A proficiency test assesses a student's ability to use the language in real-life contexts. Following is a more detailed description of both the achievement and proficiency tests accompanying the **Bon voyage!** Level 3 textbook.

Lesson and Chapter Achievement Tests

The Lesson and Chapter Achievement Tests for **Bon voyage!** Level 3 measure vocabulary and grammar concepts via listening, reading, and writing formats. There are Reading and Writing Tests for each lesson. There are two levels of Chapter Reading and Writing Tests—Form A *(Easy to Average)* and Form B *(Average to Challenging)* so the teacher can easily provide differentiated assessment to meet students' needs. Use the test labeled "Form A" for an easier test. Use the test labeled "Form B" as a more challenging test. The listening section of each test has been recorded by native French speakers on compact disc. If the teacher chooses to read the listening comprehension test items aloud rather than using the recorded version, the script for the listening tests is included with the Listening Comprehension Answer Key. The Chapter Achievement Tests can be administered upon the completion of each chapter of the Student Textbook.

Chapter Speaking Tests

Day-to-day interaction with students gives teachers a general idea of how each individual is progressing in his or her ability to speak French. The variety of oral activities included in each chapter of the Student Textbook provides ample opportunity for teachers to monitor their students' progress in speaking. The Chapter Speaking Tests, however, allow teachers to assess the speaking skill more concretely and systematically. Each test includes conversational topics to which the individual student should respond orally. We recommend that each student speak about two or more of the topics provided in order to give him or her the maximum opportunity to speak. The teacher may wish to add other topics to those provided on the Speaking Test.

When to Administer the Speaking Tests

Following are some suggestions for administering a speaking test to each of the students periodically throughout the year while at the same time attending to the needs of the class as a whole. Perhaps the most practical approach is to schedule in-class reading or writing assignments during those times when the teacher plans to administer a speaking test to several individual students. The **Lecture** sections of the chapter are the best source for in-class reading. Selected activities in the **Vocabulaire pour la lecture** and **Structure** sections of each chapter are good sources for in-class writing assignments. The Workbook and Audio Activities booklet is an additional resource.

Suggestions for Scoring the Speaking Tests

The following are suggestions to assist teachers in determining how to measure each student's response. Teachers may wish to place greater emphasis on the comprehensibility of the message conveyed than on grammatical accuracy. The following system is based on a scale of 1 to 5. For example:

5	(A):	Complete message conveyed, precise control of structure and vocabulary
4–3	(B–C):	Complete message conveyed, some errors in structure and vocabulary
2–1	(D):	Message partially conveyed, frequent errors
0	(F):	No message conveyed

Chapter Proficiency Tests

The Chapter Proficiency Tests measure mastery of vocabulary and structure presented in each chapter on a more global, whole-language level. The Proficiency Tests can be used as an option to the Achievement Tests, or they may complement them. In order to minimize the total number of class days devoted to testing, the teacher may wish to combine several Chapter Proficiency Tests and administer them on the same day.

The Oral Proficiency Interview

Some years ago linguists in the U.S. federal government service were asked to develop a scale, a set of descriptors of speaking ability, and a procedure, a face-to-face interview, to determine proficiency level. A modified scale was later developed for use in the academic community. The modified scale is commonly known as the ACTFL (American Council on the Teaching of Foreign Languages) Proficiency Scale. The scales and interviews continue to be used by schools, colleges, government agencies, and increasingly by public and private institutions and agencies throughout the world for testing speaking proficiency in any language. The interview tests the ability to speak and to use the language in real-life situations.

The interview appears to be a casual conversation, but it is really more than that. A good interview will enable the student to produce a ratable sample of speech, one that is sufficiently complete and representative of the student's ability to allow for the assignment of a reliable rating.

The Oral Proficiency Interview is a proficiency test. That is, it is not based on a specific text, curriculum, or program of studies. Its purpose is to assess the ability of students to operate in real-life, face-to-face, language-use situations.

The Oral Proficiency Interview Scale

Novice

Novice Low	Unable to function in the spoken language
Novice Mid	Able to operate in only a very limited capacity
Novice High	Able to satisfy immediate needs with learned utterances

Intermediate

Intermediate Low	Able to satisfy basic survival needs and minimum courtesy requirements
Intermediate Mid	Able to satisfy some survival needs and some limited social demands
Intermediate High	Able to satisfy most survival needs and limited social demands

Advanced

Advanced	Able to satisfy the requirements of everyday situations and routine school and work assignments
Advanced High	Able to satisfy the requirements of a broad variety of everyday, school, and work situations
Superior	Able to speak the language with sufficient structural accuracy and vocabulary to participate effectively in most formal and informal conversations

Conducting the Oral Proficiency Interview

The interview consists of four phases: a warm-up, level checks, probes, and a wind-down.

1. The warm-up is intended to put the student at ease and consists of courtesies and very simple questions.
2. The level check is designed to verify that the student can perform at the level.
3. The probes are questions or stimuli at the level above the one at which the student has been responding. If the level check has verified that the student can perform at the Novice Mid level, for example, the probes should be at the Intermediate level.
4. The wind-down is the close of the interview. Once the interviewer is satisfied that the student has performed at the highest level possible, the interviewer "backs off," reduces the difficulty of the conversation so that the student can be comfortable, and ends the interview.

Length of the Interview and Target Performance

The length of the interview is directly related to the ability of the student. Novice level interviews will normally last about five to eight minutes. A Superior level interview should require about twenty minutes. Students in the first year of study will typically rate in the Novice range. In the second year, performance in the Intermediate range should be expected. By the third year, students should be able to perform in the upper Intermediate range.

Level-Specific Tasks

What can the student do with the language? For each level there are tasks that the student must be able to perform. The focus is on successful completion of the task, not on grammatical perfection or precision of vocabulary. Obviously, for some high-level tasks, grammatical accuracy and precision of vocabulary are necessary to do the task. But at the Novice and Intermediate levels, all that is required is that the task be completed successfully.

Typical Novice Level Tasks

label familiar objects
repeat memorized material
count

Typical Intermediate Level Tasks

ask simple questions
answer simple questions
get into and out of survival situations

Typical Advanced Level Tasks

give directions/instructions
describe
narrate in present, past, future

Typical Superior Level Tasks

resolve problem situations
support opinions
hypothesize

A Note About "Situations"

The oral proficiency interview "situations" are designed to present the student with a task appropriate to his or her proficiency level. Intermediate level "situations," for example, are "survival" tasks such as obtaining lodging, ordering a meal, or asking directions.

Samples of Typical Interviewer Questions/Probes

The Warm-Up

Interviewer:	Salut. (Bonjour). Ça va? (Comment vas-tu?)Je m'appelle _____. Tu t'appelles comment? Il fait chaud (froid, frais) aujourd'hui, n'est-ce pas? Qui est ton professeur de français?

Level Check

Novice Level Interviewer:	Nous sommes quel jour aujourd'hui? Quelle est la date aujourd'hui? Quelle heure est-il? Qu'est-ce que c'est? *(articles of clothing/classroom objects/colors)* Quel temps fait-il aujourd'hui? Il y a combien de personnes dans ta famille? Qui sont les membres de ta famille?
Intermediate Level Interviewer:	Tu es d'où? Tu as quel âge? Parle-moi un peu de ta famille. Vous êtes combien? Quel âge ont les membres de ta famille? Est-ce qu'ils travaillent ou est-ce qu'ils sont élèves ou étudiants? Tu habites où? Comment est ta maison ou ton appartement? Tu es élève dans quel lycée? Tu suis

quels cours? Qu'est-ce que tu fais le matin (l'après-midi/le soir)? Tu pratiques quels sports? Comment est-ce qu'on va d'ici au centre-ville? Où est la cafétéria (le gymnase/le stade/ta maison/la poste)? Qu'est-ce que tu voudrais savoir à propos de moi? Qui sont tes amis? Ils ont quel âge? Ils sont comment? À quelle heure est-ce que tu te lèves? Qu'est-ce que tu manges au petit déjeuner (déjeuner/dîner)?

Situations: Ordering Meals/Exchanging Money/Calling on the Phone/Post Office/Train or Bus/Lodging/Gas Station

Advanced Level Interviewer: Qu'est-ce que tu as fait samedi dernier? Tu es arrivé(e) comment au lycée ce matin? Quand tu étais petit(e), tu habitais où? Décris la ville où tu vivais, s'il te plaît. Je ne sais pas jouer au base-ball; explique-moi comment on y joue. Qu'est-ce que tu vas faire cet après-midi après les cours? Parle-moi un peu du dernier film que tu as vu. Quelles qualités est-ce qu'un(e) bon(ne) ami(e) devrait avoir? Quels sont tes projets d'avenir? Qu'est-ce que tu faisais à l'école primaire? Qu'est-ce que tu penses de ce qui se passe en/à *(current events topic)*? Explique-moi comment on se sert d'un(e) *(equipment/machine/gadget)*. Quand tu étais enfant, qui était ton meilleur ami (ta meilleure amie) et comment était-il/elle? Est-ce que tu as voyagé dans d'autres pays? Raconte-moi ce voyage. Quelle est ton équipe de football favorite et pourquoi? Certaines personnes disent qu'on devrait avoir cours le samedi. Qu'est-ce que tu en penses? Pourquoi?

Situations: Same as Intermediate Situations but with complications. For example: Ordering a meal, but can't find money/ Getting lodging, but only expensive rooms available/ Getting a train, but doesn't stop at desired station, etc.

Superior Level Interviewer: Tu veux être avocat(e), n'est-ce pas? Alors, quelles qualités un(e) bon(ne) avocat(e) devrait-il/elle avoir? Qu'est-ce que tu ferais à propos de *(topical issue)* si tu étais Président des États-Unis? Beaucoup de gens croient que les études universitaires devraient être gratuites. Est-ce que c'est une bonne idée ou non? Pourquoi? Si tu avais un frère qui ne voulait pas étudier, qu'est-ce que tu lui dirais? Si tu étais le proviseur de ce lycée et si tu voyais un étudiant qui trichait pendant un examen, qu'est-ce que tu ferais?

Situations: Convince a potential drop-out to stay in school/Introduce the commencement speaker/Negotiate a good deal for team jackets/Talk your French teacher into giving you a higher grade/Talk your way out of a parking ticket in Paris

The Wind-Down

Interviewer: Bien. Alors, est-ce que tu as des questions pour moi main-
                                      tenant? Où vas-tu maintenant? Alors, je crois que c'est tout
                                      pour aujourd'hui. Merci, et à bientôt.

The purpose of the wind-down is to put the candidate at ease and end the interview. It should be simple and easily understood.

The Oral Proficiency Interview: A Final Note

Remember that the preceding questions are only samples, indicative of the kinds of questions and topics appropriate at each level. The description we have given of the oral proficiency interview and scale will serve to familiarize the reader with a useful and respected tool for evaluating second-language oral proficiency. In order to administer and rate an interview properly, a thorough understanding of the scale and intensive training in interviewing and rating is usually necessary. For more information on oral proficiency interviews, write to:

The American Council on the Teaching of Foreign Languages (ACTFL)
6 Executive Plaza
Yonkers, NY 10701-6801

Nom _____ Date _____

Leçon 1:
Reading and Writing
Lesson Test

(This test contains 30 items for convenience of scoring.)

Vocabulaire pour la lecture

1 Complétez.

1. Les parents sont très joyeux d'annoncer la _____ de leur petit bébé.

2. C'est le _____ qui marie un couple juif.

3. Les nouveaux mariés échangent des _____ pendant la cérémonie.

4. Une _____ est un gâteau spécial servi à la réception d'un mariage.

5. Le _____ transporte le cercueil au cimetière.

6. Un _____, c'est une personne qui est morte.

Lecture

2 Répondez.

1. Qui est présent au baptême d'un bébé catholique?

_____

_____

2. Quelle cérémonie marque l'entrée des juifs et des musulmans dans leur communauté religieuse respective?

_____

3. Qu'est-ce qu'un jeune juif célèbre le samedi précédant ses treize ans?

_____

4. Où cette cérémonie a-t-elle lieu?

_____

5. Quel âge a un musulman quand il pratique le jeûne pendant le mois du Ramadan pour la première fois?

_____

3 Vrai ou faux?

1. _____ Le mariage civil n'est pas obligatoire en France. Mais le mariage religieux est obligatoire.

2. _____ Pendant la réception qu'on donne après la cérémonie nuptiale, il y a un grand repas ou un buffet.

3. _____ Les protestants se placent sous un houpa quand ils reçoivent les bénédictions nuptiales.

4. _____ Les filles en France peuvent se marier à quinze ans sans le consentement de leurs parents.

5. _____ Les pratiques funéraires en France sont très marquées par les rites catholiques.

6. _____ Après la messe pour le défunt, le cercueil est transporté au cimetière dans un corbillard.

7. _____ Les parents et les amis du défunt juif se réunissent au domicile du défunt pour la shiva.

8. _____ Ce sont les femmes musulmanes qui assistent à l'enterrement.

9. _____ La tombe d'un musulman est très décorée.

4 Décrivez.

1. une famille monoparentale

_____

_____

2. une famille recomposée

_____

_____

Structure-Révision

5 Complétez avec un article.

1. J'aime beaucoup _____ poisson.

2. Il mange toujours _____ fromage.

3–4. Il a _____ sœurs mais il n'a pas _____ frères.

6 Répondez avec un pronom.

1. Il vient de Madrid, non?

_____

2. Elle a trois frères, non?

_____

3. Tu as assez d'argent?

_____

4. Ils parlent toujours de leur famille?

_____

Nom _____ Date _____

Leçon 2:
Reading and Writing
Lesson Test

(This test contains 20 items for convenience of scoring.)

Vocabulaire pour la conversation

1 Donnez le mot.

1. une sorte de siège qu'on trouve dans les églises _____

2. complimenter quelqu'un _____

3. dire «merci» à quelqu'un _____

4. apporter une marchandise à quelqu'un _____

Conversation

2 Répondez.

1. Robert va où pour la première fois?

_____

_____

2. Robert doit entrer dans l'église avec qui?

_____

_____

3. Il doit attendre jusqu'à ce qu'un garçon d'honneur le conduise à sa place?

_____

_____

4. Les premiers rangs de l'église sont réservés pour qui?

_____

_____

5. Qu'est-ce qu'Erica va faire pour la première fois?

_____

_____

6. Elle peut envoyer des fleurs?

_____

_____

Structure-Révision

3 Complétez avec le pronom relatif qui convient.

1. Le garçon _____ vient d'entrer dans l'église est le frère de la mariée.

2. Le garçon _____ vous voyez là, c'est le cousin de la mariée.

3. Le buffet _____ a été commandé chez le charcutier va être délicieux.

4. Le buffet _____ les parents des nouveaux mariés ont servi était bon.

5–6. Dites-moi _____ se passe et _____ vous avez.

4 Faites une seule phrase des deux.

1. Il a une grande famille. Il parle toujours de sa famille.

_____

2. Voilà le jardin. Il s'occupe de ce jardin.

_____

3. Elle est fiancée à un garçon. Je connais la sœur de ce garçon.

_____

4. Il veut acheter cette maison. Il parle de la maison.

_____

Nom _____ Date _____

Leçon 3:
Reading and Writing
Lesson Test

(This test contains 25 items for convenience of scoring.)

Vocabulaire pour la lecture

1 Complétez.

1. Monique, qui a trois ans, passe la journée dans une

   _____ pendant que ses parents travaillent.

2. Au printemps j'aime beaucoup regarder les jolis

   _____ qui visitent les fleurs de mon jardin.

3. Il y a toujours une _____ entre ces deux garçons. Ils savent toujours ce que l'autre est en train de faire.

4. Elle est très contente. Elle est vraiment _____.

5. C'est lui le plus âgé. C'est l'_____ de la famille.

6. Les _____ ne sont pas basés sur l'objectivité.

7. Regarde! L'enfant a _____ un portrait de ses parents. Qui sait? Il deviendra peut-être artiste.

8. Sandrine s'installe à son bureau et _____ à faire ses devoirs.

Lecture

2 Vrai ou faux?

1. _____ La crèche «Les Papillons» est dans le centre de Paris.

2. _____ Il y a deux édifices. L'un est pour les pensionnaires et l'autre est pour les petits enfants.

3. _____ Les mamies préparent souvent des crêpes pour les enfants.

4. _____ Malheureusement les petits enfants sont souvent agressifs contre les personnes âgées.

5. _____ Les pensionnaires sont très heureux quand les petits enfants arrivent dans le salon.

Vocabulaire pour la lecture

3 Écrivez une phrase.

1. se fiancer

_____

2. les obsèques

_____

3. le décès

_____

4 Complétez.

1. Ils iront en France s'ils _____ assez d'argent. (avoir)

2. Ils iraient en France s'ils _____ assez d'argent. (avoir)

3. Ils seraient allés en France s'ils _____ assez d'argent. (avoir)

4. Je le _____ si j'avais le temps. (faire)

5. Je lui _____ si je le vois. (parler)

6. Les pensionnaires _____ la télé si les enfants n'étaient pas arrivés. (regarder)

7. Si je l'avais vu, je lui _____ ce qui se passait. (dire)

8. Si j'avais une bonne voiture, je _____ le long de la côte. (conduire)

9. Si j'habitais plus près, j'_____ au mariage de mon cousin. (assister)

Reading and Writing Lesson Tests
Answer Key

CHAPITRE 6
LEÇON 1

1

1. naissance
2. rabbin
3. alliances
4. pièce montée
5. corbillard
6. défunt

2

1. Le prêtre, le parrain et la marraine, le père, la mère, le bébé, la famille et des amis proches.
2. La circoncision.
3. Sa bar-mitzva.
4. À la synagogue.
5. Douze ans.

3

1. Faux.	**4.** Faux.	**7.** Vrai.
2. Vrai.	**5.** Vrai.	**8.** Faux.
3. Faux.	**6.** Vrai.	**9.** Faux.

4

1. Une famille avec un seul parent.
2. Une nouvelle famille fondée par des divorcés.

5

1. le	**3.** des
2. du	**4.** de

6

1. Oui, il en vient.
2. Oui, elle en a trois.
3. Oui, j'en ai assez.
4. Oui, ils en parlent toujours.

LEÇON 2

1

1. un banc	**3.** remercier
2. féliciter	**4.** livrer

2

1. À un mariage en France.
2. Avec les autres invités.
3. Non.
4. La proche famille.
5. Elle va assister à un enterrement en France.
6. Oui, si ça ne dit pas «ni fleurs ni couronnes».

3

1. qui	**3.** qui	**5.** ce qui
2. que	**4.** que	**6.** ce que

4

1. Il a une grande famille dont il parle toujours.
2. Voilà le jardin dont il s'occupe.
3. Elle est fiancée à un garçon dont je connais la sœur.
4. Il veut acheter la maison dont il parle.

LEÇON 3

1

1. crèche	**4.** ravie	**7.** dessiné
2. papillons	**5.** aîné	**8.** se met
3. complicité	**6.** préjugés	

2

1. Faux.	**3.** Vrai.	**5.** Vrai.
2. Faux.	**4.** Faux.	

3 *Answers will vary.*

4

1. ont
2. avaient
3. avaient eu
4. ferais
5. parlerai
6. auraient regardé
7. aurais dit
8. conduirais
9. assisterais

Nom _____ Date _____

Reading and Writing Test

FORM A

(This test contains 50 items for convenience of scoring.)

Vocabulaire

1 Complétez. *(Leçon 1)*

1–2. Le bébé naît. Ses parents sont heureux d'annoncer sa

_____. Ils envoient un

_____ aux amis et à toute la famille.

3. La _____ et le parrain sont présents au baptême du bébé.

4. Il faut qu'il y ait des _____ à un mariage civil.

5. À un mariage religieux, il y a un _____ et une demoiselle d'honneur.

6. Les nouveaux mariés échangent des _____ pendant la cérémonie de mariage.

7. Le gâteau de mariage, c'est une _____.

8. On met le _____ dans un corbillard pour aller au cimetière.

9. L'_____ a lieu au cimetière.

2 Vrai ou faux? *(Leçon 2)*

1. _____ Il y a des rangs de bancs dans les églises.

2. _____ Tout le monde félicite la mère de la fiancée pour sa gentillesse.

3. _____ Il faut le faire livrer parce qu'il pèse moins d'une livre, c'est-à-dire moins de 500 grammes.

4. _____ On met une couronne de fleurs sur le parvis.

3 Corrigez les phrases fausses. *(Leçon 3)*

1. Les papillons ont des couleurs vives. Ils sont très jolis.

   _____

2. Les petits enfants passent la journée dans un collège.

   _____

3. Il y a une grande complicité entre eux. Ils ne s'aident jamais.

   _____

4. Il a été très ému quand il a reçu la nouvelle du décès de son ami.

   _____

5. Mon frère aîné est le plus jeune de mes deux frères.

   _____

6. Il est très triste. Il est ravi.

   _____

Lecture

4 Vrai ou faux? *(Leçon 1)*

1. _____ Le mariage civil est obligatoire en France.

2. _____ L'enfant protestant est presque toujours plus jeune que l'enfant catholique quand il est baptisé.

3. _____ Le jour du mariage, les époux musulmans passent toute la journée ensemble.

4. _____ Les juifs se placent sous une houpa pendant que le rabbin prononce les bénédictions nuptiales.

5. _____ L'âge légal du mariage en France n'est pas fixé.

6. _____ Comme aux États-Unis, le taux de divorces en France est en hausse.

7. _____ Une famille recomposée est une famille dont un parent est mort.

8. _____ Les pratiques funéraires en France ne sont pas marquées par des rites religieux.

5 Écrivez. *(Leçon 2)*

    1. Écrivez un conseil à quelqu'un qui va assister à un mariage en France.

_____

_____

_____

    2. Écrivez un conseil à quelqu'un qui va assister à un enterrement en France.

_____

_____

_____

6 Répondez.

    1. Qui cohabite dans la crèche «Les Papillons»?

_____

_____

_____

    2. Qu'est-ce qu'ils font ensemble?

_____

_____

_____

7 Complétez. *(Leçon 3)*

    1. Le jeune couple se fiance et ils annoncent leur _____ dans le carnet du jour de leur journal.

    2. Dans le faire-part on ne dit pas «la mort». On dit

_____.

    3. Et on ne dit pas «l'enterrement». On dit _____.

Structure

8 Récrivez en utilisant un pronom. *(Leçon 1)*

1. Il a deux frères.

_____

2. Je lui ai envoyé de l'argent.

_____

3. Je t'assure qu'ils ont besoin de ton aide.

_____

4. Ils veulent beaucoup de cadeaux?

_____

5. Elle est très fière de ses enfants.

_____

9 Complétez avec un pronom relatif. *(Leçon 2)*

1. Tu connais la femme _____ est entrée?

2. Tu as compris _____ son frère a dit?

3. Tout _____ est sur la table est à lui?

4. Je ne sais pas _____ il a besoin.

5. C'est la fille _____ il parle toujours.

6. Il y a beaucoup de monde là mais je ne sais pas _____ s'est passé.

10 Complétez au plus-que-parfait ou au conditionnel passé. *(Leçon 3)*

1. Il l'_____ déjà _____
quand je suis arrivé. (finir)

2. Je t'assure qu'il serait allé en France s'il _____ assez
d'argent. (avoir)

3. Elle te l'_____ si elle l'avait su. (dire)

4. Elle l'_____ si elle avait pu. (faire)

5. Je serais allé à la réception si on m'_____. (inviter)

Reading and Writing Test

Answer Key

CHAPITRE 6
FORM A

1
1. naissance
2. faire-part
3. marraine
4. témoins
5. garçon d'honneur
6. alliances
7. pièce montée
8. cercueil
9. enterrement

2
1. Vrai.
2. Faux.
3. Faux.
4. Faux.

3
1. Vrai.
2. Les petits enfants passent la journée dans une crèche.
3. Il y a une grande complicité entre eux. Ils s'aident toujours.
4. Vrai.
5. Mon frère aîné est le plus âgé de mes deux frères.
6. Il est très content. Il est ravi.

4
1. Vrai.
2. Faux.
3. Faux.
4. Vrai.
5. Vrai.
6. Vrai.
7. Faux.
8. Faux.

5 *Answers will vary.*

6
1. Des jeunes enfants cohabitent avec des pensionnaires.
2. Ils mangent, ils lisent des histoires, ils jouent au ballon, ils dessinent, ils réalisent un travail manuel.

7
1. fiançailles
2. décès
3. obsèques (l'inhumation)

8
1. Il en a deux.
2. Je lui en ai envoyé.
3. Je t'assure qu'ils en ont besoin.
4. Ils en veulent beaucoup?
5. Elle est très fière d'eux.

9
1. qui
2. ce que
3. ce qui
4. ce dont
5. dont
6. ce qui

10
1. avait fini(e)
2. avait eu
3. aurait dit
4. aurait fait
5. avait invité

Nom _____ Date _____

Reading and Writing Test
FORM B
(This test contains 50 items for convenience of scoring.)

Vocabulaire

1 Répondez. *(Leçon 1)*

1. Qui accompagne le marié et la mariée à un mariage civil?

_____

2. Et qui les accompagne à un mariage religieux?

_____

3. Qu'est-ce que les parents d'un nouveau-né annoncent dans le faire-part?

_____

4. Qu'est-ce que les nouveaux mariés échangent pendant la cérémonie de mariage?

_____

5. Qu'est-ce qu'on sert comme dessert à une réception de mariage?

_____

6. De qui le prêtre parle-t-il au cimetière?

_____

2 Écrivez une phrase avec chacun des mots suivants. *(Leçon 2)*

1. un rang

_____

2. une couronne de fleurs

_____

3. livrer

_____

4. remercier

_____

3 Corrigez les phrases fausses. *(Leçon 3)*

1. Les papillons ont des couleurs vives. Ils sont très jolis.

   _____

2. Les petits enfants passent la journée dans un collège.

   _____

3. Il y a une grande complicité entre eux. Ils ne s'aident jamais.

   _____

4. Il a été très ému quand il a reçu la nouvelle du décès de son ami.

   _____

5. Mon frère aîné est plus jeune que moi.

   _____

6. Il est très triste. Il est ravi.

   _____

Lecture

4 Écrivez une phrase sur les sujets suivants. *(Leçon 1)*

1. le baptême d'un enfant catholique

   _____

   _____

2. le baptême d'un enfant protestant

   _____

   _____

3. le baptême d'un enfant juif ou musulman

   _____

   _____

4. la réception d'un mariage catholique

   _____

   _____

5 Identifiez. *(Leçon 1)*

    1. l'âge légal du mariage en France

    _____

    2. une famille recomposée

    _____

    _____

6 Écrivez. *(Leçon 2)*

    1. Écrivez un conseil à quelqu'un qui va assister à un mariage en France.

    _____

    _____

    2. Écrivez un conseil à quelqu'un qui va assister à un enterrement en France.

    _____

    _____

7 Répondez. *(Leçon 3)*

    1. Qui cohabite dans la crèche «Les Papillons»?

    _____

    _____

    2. Qu'est-ce qu'ils font ensemble?

    _____

    _____

8 Complétez. *(Leçon 3)*

    1. Le jeune couple se fiance et ils annoncent leur _____ dans le carnet du jour de leur journal.

    2. Dans le faire-part on ne dit pas «la mort». On dit _____.

    3. Et on ne dit pas «l'enterrement». On dit _____.

    4. Si le faire-part dit «dans la plus stricte _____», les amis ne peuvent pas assister aux obsèques.

Nom _____ Date _____

Structure

9 Répondez avec **oui** en utilisant un pronom. *(Leçon 1)*

1. Il a deux frères?

   _____

2. Tu lui as envoyé de l'argent?

   _____

3. Tu es sûr(e) qu'ils ont besoin de ton aide?

   _____

4. Ils vont recevoir beaucoup de cadeaux?

   _____

5. Elle est très fière de ses enfants?

   _____

10 Complétez avec un pronom relatif. *(Leçon 2)*

1. Tu connais la femme _____ est entrée?

2. Tu as compris _____ son frère a dit?

3. Tout _____ est sur la table est à lui?

4. Je ne sais pas _____ il a besoin.

5. C'est la fille _____ il parle toujours.

6. Il y a beaucoup de monde là mais je ne sais pas _____ s'est passé.

11 Complétez au plus-que-parfait ou au conditionnel passé. *(Leçon 3)*

1. Il l'_____ déjà _____ avant mon arrivée parce que je l'ai vu. (finir)

2. Je t'assure qu'il serait allé en France s'il _____ assez d'argent. (avoir)

3. Elle te l'_____ si elle l'avait su. (dire)

4. Elle l'_____ si elle avait pu. (faire)

5. Je serais allé à la réception si on m'_____. (inviter)

12 Écrivez un paragraphe sur un des thèmes suivants: un mariage typique, les obsèques, la famille en France.

1–4. _____

_____

_____

_____

_____

_____

_____

_____

_____

_____

_____

Reading and Writing Test
Answer Key

CHAPITRE 6
FORM B

1

1. Les témoins.
2. Le garçon d'honneur et la demoiselle d'honneur.
3. Le nom et la date de naissance, et peut-être aussi combien l'enfant pèse et combien il mesure.
4. Des alliances.
5. Une pièce montée.
6. Du défunt.

2 *Answers will vary.*

3

1. Vrai.
2. Les petits enfants passent la journée dans une crèche.
3. Il y a une grande complicité entre eux. Ils s'aident toujours.
4. Vrai.
5. Mon frère aîné est plus âgé que moi.
6. Il est très content. Il est ravi.

4 *Answers will vary.*

5

1. Dix-huit ans.
2. Une nouvelle famille fondée par des divorcés.

6 *Answers will vary.*

7

1. Des jeunes enfants cohabitent avec des pensionnaires.
2. Ils mangent, ils lisent des histoires, ils jouent au ballon, ils dessinent, ils réalisent un travail manuel.

8

1. fiançailles
2. le décès
3. les obsèques (l'inhumation)
4. intimité

9

1. Oui, il en a deux.
2. Oui, je lui en ai envoyé.
3. Oui, je suis sûr(e) qu'ils en ont besoin.
4. Oui, ils vont en recevoir beaucoup.
5. Oui, elle est très fière d'eux.

10

1. qui
2. ce que
3. ce qui
4. ce dont
5. dont
6. ce qui

11

1. avait fini
2. avait eu
3. aurait dit
4. aurait fait
5. avait invité

12 *Answers will vary.*

Nom _____ Date _____

Listening Comprehension Test

1

	1.	2.	3.	4.	5.	6.	7.	8.	9.	10.
oui										
non										

2

1. **a.** un mariage
   b. des obsèques
   c. un baptême

2. **a.** un mariage
   b. des obsèques
   c. un baptême

3. **a.** un mariage
   b. des obsèques
   c. un baptême

4. **a.** un mariage
   b. des obsèques
   c. un baptême

5. **a.** un mariage
   b. des obsèques
   c. un baptême

3

1. a b c

2. a b c

3. a b c

4. a b c

5. a b c

Listening Comprehension Test

Audio Script

CHAPTER 6 *(Test CD, Tracks 20–22)*

1 You will hear ten statements. If the statement makes sense, check **oui** on your activity sheet. If it does not make sense, check **non**.

1. La demoiselle d'honneur aide la mariée pendant la cérémonie de mariage.

2. On jette du riz sur les nouveaux parents après la naissance de leur bébé.

3. On met le cercueil dans un corbillard pour aller au cimetière.

4. De nos jours il y a très peu de familles monoparentales parce que le taux de divorce est en hausse.

5. Le mariage civil a lieu à l'église.

6. La voiture des nouveaux-mariés est souvent décorée de fleurs et de rubans.

7. Si tu es un ami ou une amie du fiancé ou de la fiancée, tu dois t'asseoir au premier rang.

8. Je suis plus âgé que mon frère aîné.

9. Une crèche municipale est une maison pour les pensionnaires.

10. D'abord un jeune homme et une jeune fille se fiancent et ensuite ils se marient.

2 You will hear five statements. Decide whether the statement best describes a wedding **(un mariage),** a funeral **(des obsèques),** or a baptism **(un baptême)** and circle the corresponding letter on your activity sheet.

1. Ils échangent des alliances pendant la cérémonie.

2. Chez les juifs, les parents et les amis se réunissent au domicile du défunt pendant une période de sept jours.

3. Le prêtre lui verse un peu d'eau sur le front en présence du parrain et de la marraine.

4. Le cercueil sort de l'église. Le cortège des parents, des proches et des amis le suivent en voiture ou, plus traditionnellement, à pied.

5. On sert une pièce montée et on donne des dragées aux invités.

3 You will hear five questions, each followed by three possible answers. Select the most appropriate answer and circle the corresponding letter on your activity sheet.

1. Est-ce que les pensionnaires d'une maison de retraite aiment être avec les enfants d'une halte-garderie?

   a. Oui, parce qu'il faut toujours les garder.

   b. Oui, parce qu'ils retrouvent le bonheur et ils se sentent de nouveau utiles en faisant des choses pour et avec les petits enfants.

   c. Oui, parce que les enfants ont des préjugés contre les personnes âgées.

2. Il existe une très grande complicité entre les deux?

   a. Oui, il est évident que chacun a confiance en l'autre.

   b. Oui, et le complice fait toujours quelque chose pour distraire la victime.

   c. Oui, l'un ne sait jamais ce que l'autre fait.

3. Tu crois qu'ils vont se marier?

   a. Peut-être. Je viens de lire le faire-part dans le journal.

   b. Sa mère n'est pas là.

   c. C'est possible. Ils ont l'air heureux ensemble.

4. Ils ont reçu beaucoup de cadeaux?

   a. Moi, j'en ai un.

   b. Oui, ils l'ont reçu.

   c. Ils en ont reçu au moins cent.

5. Tu les aurais accompagnés?

   a. Oui, si j'ai le temps.

   b. Oui, si j'avais le temps.

   c. Oui, si j'avais eu le temps.

Listening Comprehension Test
Answer Key

CHAPITRE 6

1
1. Oui.
2. Non.
3. Oui.
4. Non.
5. Non.
6. Oui.
7. Non.
8. Non.
9. Non.
10. Oui.

2
1. a
2. b
3. c
4. b
5. a

3
1. b
2. a
3. c
4. c
5. c

Nom _____ Date _____

Speaking Test

1 Bonjour _____. Répondez à mes questions, s'il vous plaît.

    1. Aux État-Unis, le mariage civil est-il obligatoire?

    2. Est-ce que les jeunes de nos jours se marient de plus en plus tôt ou de plus en plus tard?

    3. Qu'est-ce qu'une famille recomposée?

    4. Qu'est-ce qu'une crèche municipale ou une halte-garderie?

    5. Qu'est-ce que le carnet du jour dans un journal?

2 Vous pourriez me décrire en quelques phrases un mariage typique ou traditionnel?

3 Je sais que c'est un peu triste, mais pourriez-vous me décrire les obsèques de quelqu'un?

4 Choisissez un passage de la vie. Ensuite choisissez une religion et expliquez-moi comment les pratiquants de cette religion célèbrent cet événement.

Speaking Test
Copyright © by The McGraw-Hill Companies, Inc.

Nom _____ Date _____

Proficiency Test

1 Choisissez au moins six mots et utilisez chacun d'entre eux dans une phrase originale.

un faire-part   féliciter   aîné(e)
une pièce montée   remercier   une complicité
un corbillard   ravi(e)

1. _____

   _____

2. _____

   _____

3. _____

   _____

4. _____

   _____

5. _____

   _____

6. _____

   _____

2 Décrivez un mariage auquel vous avez assisté.

_____

_____

_____

_____

_____

3 Comparez quelques coutumes familiales catholiques, protestantes, juives et musulmanes.

_____

_____

_____

_____

_____

_____

_____

_____

4 Comment les familles changent-elles dans les sociétés contemporaines? Quelles sont les conséquences?

_____

_____

_____

_____

_____

_____

_____

_____

_____

_____

5 Vous avez lu un article sur une crèche intéressante. Pourquoi est-elle tellement intéressante?

_____

_____

_____

_____

_____

6 Écrivez un faire-part pour un mariage ou des obsèques.

_____

_____

_____

_____

_____

_____

_____

_____